Les hauts châteaux du rang C

Texte et concept original de **Céline Côté**
Illustrations de **Nadia Berghella**

Auteure : Céline Côté
Illustratrice : Nadia Berghella
Éditrice : Marie-Claude Malenfant
Conceptrice graphique : Marianne Tremblay
Correcteur : Patrick Guay

1020-B, boul. du Lac, C.P. 4157
Lac-Beauport (Québec)
G0A 2C0

Téléphone : (418) 841-3790
Télécopieur : (418) 841-4491
Sans frais : 1-888-8GUÉRIR (1-888-848-3747)
Courriel : academie-impact@qc.aira.com
Site Web : www.academie-impact.qc.ca

Données de catalogage avant publication (Canada)

Côté, Céline, 1948-

Les hauts châteaux du rang Caboche

(Impact Jeunesse)
(Histoires de marmots par Mona la marmotte ; 3)

ISBN 2-922762-16-5

I. Berghella, Nadia. II. Titre. III. Collection. IV. Collection: Côté, Céline, 1948- . Histoires de marmots par Mona la marmotte ; 3.

PS8555.O755H38 2002 jC843'.6 C2002-940092-9
PS9555.O755H38 2002
PZ23.C67Ha 2002

Céline Côté tient à remercier le Conseil des arts et des lettres du Québec de son appui financier.

ISBN 2-922762-16-5

Dépôt légal : 1er trimestre 2002
Bibliothèque nationale du Québec
Bibliothèque nationale du Canada

Il était une fois...
le jardin des alphines,

le terrier de Mona
et son vestiaire des contes...
Fiou !
Mona la marmotte, c'est moi
On me dit sorcière
et particulière
Alors que mes frères
Dorment tout l'hiver
Moi, sous la chandelle,
je note et mijo
Des histoires nouvelles
aux marmots, marmott

VESTIAIRE DES CONTES
Dans un coin secret
de mon terrier
Je me déguise
pour vous rencontrer
Je choisis des habits,
des accessoires
Qui se marient
aux sons de mon histoire.

OH ! N'est-ce pas que je suis CHic avec mes beaux Habits : un CHandail, un CHapeau et une moustaCHe !

Tu peux, toi aussi, te choisir un déguisement selon les alphines du jour :

et

Attention, marmots et marmottes, voici mon histoire d'aujourd'hui :

Les hauts châteaux du rang Caboche

Michou et son ours Peluche sont en visite au chalet de cousine Hélène.

Michou a du chagrin :
elle s'ennuie de son
amie Rachel qui est
restée en ville.

Pour la consoler, Hélène
lui chante des chansons.

Elle lui prête même
Chadi, la chatte
blanche qu'elle
a trouvée un
dimanche.

Finalement, Hélène veut chatouiller Michou. Mais cette chipie n'est pas d'humeur à rire :

« Je n'aime pas ça chez vous ; on voit seulement des champs et puis des roches ! »

Alors là, c'est Hélène qui est choquée.

« Il y a plein de belles choses chez nous !
Ma mère dit même qu'on a des
CHÂTEAUX dans le rang Caboche...
mais il faut être assez fin
pour les trouver ! »

Et cousine va se cacher dans sa chambre.
Oh là là, quelle histoire !

Chadi la chatte en profite pour s'échapper.
Michou se dépêche de la suivre.

« Viens, Peluche, on s'en va
chercher les châteaux. »

Michou est enchantée
de partir à l'aventure.
Elle a de bons souliers
de marche et aussi un châle,
car le vent est déjà moins chaud.

« Et si c'était loin
comme la Chine,
le rang Caboche ?... »

En chemin, elle voit de nombreux animaux qui ont chacun leur habitation.
Les chiens ont une niche... Les cochons, une porcherie...

Elle voit aussi des vaches, un cheval,
une pouliche et une chèvre...

« Ha ! Peut-être qu'on est
proche du zoo, hein, Chadi ? »

Mais Chadi la chatte est repartie chez elle. Et Michou ne sait pas quel chemin choisir.

Par chance, quelqu'un débouche sur la route. C'est un vieil homme CHAUVE avec une BARBICHE et une MOUSTACHE !

« T'as vu ça, Peluche ? Il a changé ses cheveux de place... Hi, hi, hi ! »

Voilà l'ourson qui rigole, caché dans le châle de Michou.

« Pardon monsieur, savez-vous
où se trouve le rang Caboche ? »

Le vieillard se penche et dit très fort :

« Hein ? Le rang Chabot ? C'est par là,
ma chouette. Il faut couper
à travers le champ. »

Pauvre Michou, le monsieur
a compris tout croche.

« Caboche ou bien Chabot, allons-y.
Moi, j'ai une tête de pioche
et je veux trouver les châteaux ! »

Michou emmène Peluche
à travers le champ.

Mais voilà notre aventurière
qui s'accroche dans une branche
et déchire son beau châle...

Ah, quelle journée gâchée !

En pleurant, Michou sort un mouchoir de sa poche. Tout à coup, apparaît une drôle de bête avec une moustache, un chandail et un chapeau.

« Fiou, dit la bête, le temps s'est rafraîchi. Qui est-ce qui se mouche, tout près de ma cachette ? »

« C'est moi », chuchote Michou qui trouve l'animal tout à fait charmant.

« Pourriez-vous me dire, vous, où se niche le rang Caboche ?
Il paraît qu'il y a des châteaux par là. »

Alors Mona la marmotte (Hé oui, c'est moi !)
enlève sa fausse moustache et réfléchit
sous son chapeau.

« Hum... Franchement mon petit marmot,
pas besoin de courir les rangs ni les routes :
chaque marmot a une CABOCHE,
là, tout en haut, et on peut y trouver tous les
châteaux qu'on voudra. »

Mona désigne alors, toute fière,
le dessous de son chapeau !

Mais chut, on vient... et Mona se dépêche de se cacher.
C'est monsieur Hardy, l'oncle de Michou, qui arrive en courant :

« Ma chérie, je t'ai
cherchée partout ! »

Ah ! que ça fait chaud au coeur
de retrouver Hélène et Chadi.

« Ma tante, j'ai déniché les châteaux ! »,
annonce fièrement la Michou
à madame Hardy,
tout heureuse.

Vite, Hélène entraîne cousine
dans sa chambre.

Michou lui raconte
ses aventures,
puis les deux amies
dessinent mille histoires
avec de la gouache.

Voici quelques
chefs-d'oeuvre sortis
de leur caboche...

Un vieux château hanté
par des chauves-souris
mangeuses de cheveux...

Un immense labyrinthe
où deux petits cochonnets
cherchent leur maman...

Et une marmotte à chapeau
qui s'échappe du château pour
guider les petits cochons !

Après les dessins,
Hélène sort son harmonica
et son herbier.

Encore des merveilles que
Michou pourra raconter à son
amie Rachel !

« Tu lui téléphoneras ce soir »,
chuchote Hélène avec une bise.

En l'honneur de l'harmonie retrouvée, madame Hardy débouche une bouteille d'hydromel. Tchin-tchin !

Chouette ! Les parents ont préparé un souper à la chandelle. Potage aux fines herbes, hachis de boeuf et haricots, et... de la mousse au chocolat.
Même l'ours Peluche se lèche les babines !

Comptine pour l'alphine CH

J'ai mis un mouchoir au fond de ma poche
Un, deux champignons et trois chocolats
J'ai trouvé cachés dedans ma caboche
Trois, quatre châteaux, un chien et deux chats
Un, deux, trois, quatre... chouette !

Comptine pour l'alphine H

Hourra !
Qui est-ce qui se tait
Qui est-ce qui se cache
Dans ce hourra-là ?
Dedans le hibou et le hérisson
La belle hirondelle et le grand héron
Le huard tout noir et le harfang blanc
La jolie hermine, c'est hallucinant

Qui est-ce qui se tait
Qui est-ce qui se cache ?
Hourra, c'est le H !

Les messages du Magicien Mium

Pour tous les marmots de Mona
quelques secrets
du beau métier d'alphinier

7 • Hélène et Michou, le H et le CH : quand tu prononces le nom *Hélène*, l'alphine H ne te donne pas de sonorité particulière. C'est que le H est timide et préfère passer inaperçu. Mais quand il accompagne la consonne C, il se dégêne un peu et les deux lettres nous donnent la musique berçante du CH : CH comme dans CHut, CHuCHotement... comme dans MiCHou !

Quand le H suit le P, sa chanson devient celle du F, comme dans alPHine et téléPHone, mais quand il suit le T, il redevient muet, comme dans labyrinTHe.

10 • Choquer : blesser, offenser dans ses sentiments ou ses principes ; déranger dans ses goûts, ses habitudes. Au Québec, on dit souvent qu'on est choqué lorsqu'on est fâché, en colère. Hum... Crois-tu que cousine Hélène est un peu tout cela à la fois ?

18 • Croche : employé au Québec pour dire courbe, crochu, ou alors malhonnête. Tout croche veut dire ici « de travers ». Ce mot nous vient sans doute du vieux français « bancroche », qui signifie bancal.

26 • Caboche : mot-vedette de l'histoire de Mona, il nous vient du latin « caput » : tête, qu'il désigne familièrement.

27 • Labyrinthe : réseau compliqué de chemins où l'on a de la difficulté à s'orienter ; situation complexe à démêler... T'es-tu déjà retrouvé dans un labyrinthe ?

29 • Hydromel : boisson alcoolique obtenue par fermentation du miel dans l'eau. Hydromel est formé du grec « meli » (miel) et « hudor » (eau). Chaque fois qu'un mot commence par HYDRO ou HYDR, c'est qu'il a un rapport avec l'eau !

30 • Chocolat : vient de l'espagnol « chocolate », un mot emprunté aux Aztèques (ancien peuple du Mexique).

À toi maintenant de trouver des secrets dans les mots de Mona !